낙화

발 행 | 2024년 8월 27일
저 자 | 희안
펴낸이 | 한건희
펴낸곳 | 주식회사 부크크
출판사등록 | 2014.07.15.(제2014-16호)
주 소 | 서울특별시 금천구 가산디지털1로 119 SK트윈타워 A동 305호
전 화 | 1670-8316
이메일 | info@bookk.co.kr

ISBN | 979-11-419-5472-7

www.bookk.co.kr

낙화

희안 지음

목차

06 불어오는 바람

21 낙화의 계절

44 꽃보라

불어오는 바람

7월의 여름밤

밤하늘 수많은 별이
빼곡히 매워져 하늘은 별 이었다

별들이 내게
당장이라도
쏟아질 것만 같았던

7월의 여름밤
풀벌레가 우는 밤

짙푸른 하늘 속 선명히 보인 별들
유난히도 별들이 가까워 보인 밤

7월 여름밤

여우비

여우비가 내린다
한여름 해가 쨍쨍한 어느 날
여우비가 내린다

어느 따스한 바람이 부는 날
햇살과 함께 여우비가
내게 내려온다

소나기처럼 세차게
쏟아지고 가는 비가 아닌

따스한 햇살과 함께
내게 잠시 왔다 가버린 비
너는 내게 여우비였다

편지

모든 인연을 붙잡고
연연하지 마세요
가끔은 놓아주세요

불필요한
눈물을 부디
낭비하지 마세요

싫은 걸 애써 좋다고
말하지 마세요
부단히 노력하지 마세요

야속하게 흘러가는 시간을
오로지 자신만 생각했으면 좋겠습니다

나는 그랬으면 좋겠습니다.

바다에게

끝없이 펼쳐진 바다는
끝없는 파도를 치며
새겨놓은 글씨를
지워 버리곤 한다
모래 위 새겨진 발자국들도
파도에 휩쓸려
흔적도 온통 바다에 잠식된다
잊고 싶은 기억을
종종 바닷가에 가서 모래에 쓰면
그 기억도 어느새
파도의 숨결이 불어 녹아든다
그렇게 계속 쓰다 보면
언젠간 내 기억을 모두 휩쓸어 가주겠지

해파리의 안녕

얕은 파도가 치는 바다
오늘은 왠지 밖으로 나가고 싶었어
밖으로 나온 나를

너는 나를 보고 신기하다며
나를 어루만져 보았지
차가운 물 속에 사는 나는

난생처음 느껴 보는 뜨거움이란 것을
알게 되었어
짧게 남아였지만 그것도 나쁘지 않았어
너의 손에 나는 녹아버렸지만

아마 네가 날 발견하지 못했다면
나는 영원히 뜨거움이라는 것이 뭔지 모른 채
나의 안녕이 되었을 거야

비록 사라진 나를 찾으며 바닷물을 휘젓는
네 모습이 조금은 우습긴 하지만

그래도 괜찮아 안녕.

긴 밤

유난히도 긴 오늘 밤은
유난히도 반딧불이들이 많았다
유난히 허전한 오늘은

고요의 빛과
반딧불이 불빛만이
보였다

나는 홀린 듯 반딧불
불빛 하나보고 따라가던 나는
돌부리에 밟혀 넘어졌다

일어서 보니 반딧불이는
온대 간 곳 없고
바닥은 낭떠러지였다

반딧불이는 환영이었나
환영이어도 좋다
잠시나마 나의 밤을 밝게 비추었으니

겨울을 알려준 A에게

겨울은 내게 춥고
잿빛 눈 내리는
그저 평범하디 평범한 겨울이었어

너를 만난 후 내게 겨울은
춥지만 따듯한 겨울이었고

은색 빛 눈으로 환하게 밝혀지는
겨울이었어

밤거리에 울려 퍼지는
크리스마스 캐럴은

세상 무엇과도 비교할 수 없는 음악이었어

존재 이유

우주가 나를 이곳으로
놓아준 이유가 있겠지
울지 말고 슬프지 말고
아프지 말고 웃고 또 웃고
행복의 연속인 나날들 속에서 살아가라고
나는 좋은 사람이니까
좋은 영향력을
널리 퍼트리라고
나를 이곳으로 놓아준 거겠지

사계의 짝사랑

겨울은 봄을 보고

봄은 여름을 보고

여름은 가을을 보고

겨울은 봄을 본다

나는 겨울이기에
봄 같은 너를 바라볼 수밖에

너는 햇살

너를 색으로 표현한다면
너는 노란색일 거야

파란색이었던 나를
햇살 같은 너의 미소와

따듯한 온기로 날
감싸 주었으니까

햇살보다 네가 눈부시고
태양보다 더 뜨거운
너의 마음은

누구보다 내가 잘 알고 있어
너는 나의 햇살이야

우연과 필연 인연 그 사이

우리는 이전 생부터 이어져 있던
인연이었을까

삶을 돌고 돌아
다시 너를 만나게 된 걸까

아니면 우연으로 너를 만난 걸까
만나지 않을 순 없었을까

우연이라도 마주치지 않고
인연이란 것도 없었으면 좋았을 텐데

우리는 어떠한 일이 다가와도
만날 수밖에 볼 수밖에
사랑할 수밖에 없는 필연적 운명이었나

어디로 가나요

푸르른 잔디밭 위
갈 곳 잃은
두 눈동자가 보이네요

하늘은
무색하게 파랗고
구름은 여전히 뭉게뭉게 피어오르는군요

어딜 헤매는 건가요
길을 잃어버렸나요
어디로 가나요

낙화의 계절

별밤

여긴 어디인가
깊은 늪이었나
어두운 밤하늘인가
깜깜하고도 아득하구나

영원히 헤어 나올 수 없을 것 같던
아득히도 깜깜했던 나의 밤은
빛을 갈구 했다

어둠 속에서도
한 줄기 빛을 찾아 나섰다
빛을 따라간 그곳엔

별들이 총총히 켜져 밤하늘을
메우고 있었다
어둑했던 밤하늘은 별밤을 찾는 통로였다

구름 속 일몰

구름 사이로 뜨는 일몰은
말로 다할 수 없을만큼
눈이 멀도록 아름답다

구름 사이로 나온 볕의 사이로
잠시 비추는 햇볕이라도 좋으니

나에게로 잠시 왔다 가라
구름 속 일몰이 지는 그때
나에게 빛을 내려

잔잔히 나에게 왔다 가라

심해

바다는 때론
모든 것을 집어삼킬 듯
파도친다

바다의 심해
더 깊게 더 깊이 가라앉으면
마침내 고요함으로 가득 찬 낙원이 펼쳐진다

소리를 찾을 수 없는
그저 고요함과 바닷속 깊이 빠져드는
가녀린 머리카락만이 휘날리는

두려움과 아름다움으로 가득 찬
나의 심해 나의 낙원

불완전 행복

꿈을 꾸었다
현실에선 일어날 수 없는 꿈
아주 긴 꿈

깨어나지 않고 싶은 꿈
보고 싶었던 사람을
비로소 만나는 꿈

허우적거렸다
수심을 알 수 없는 물속
발이 닿지 않는 기분

행복하지만 행복하지 않은
불안한 꿈
닿고 싶지만 닿을 수 없는

불완전 행복

영원

언제까지나
곁에 있을 것 같은
나와 또 다른 사람들은

영원이란 것이 정말로 존재하는 것이라 믿고
망각하곤 한다
계절이 지나 변해가는 나뭇잎을 보아도

영원이란 것은 존재하지 않는단 걸
우리는 알고 있음에도
때로는 영원이란 것이 존재하게 해달라고

말하기도 한다
모순된 말조차 부족한
영원을 기약하고 싶은 것들은
야속히도 기억 속 한편에 묻혀
사라지곤 한다

꽃말

붉은 장미는 사랑을
민들레는 행복을

데이지는 희망을
나팔꽃은 기쁨을
프리지어는 순수한 마음을

해바라기는 당신만
바라보겠다는 의미를
무궁화는 일편단심을

튤립은 영원을 기약하는 사랑을
나는 당신에게
이 꽃들을 드리겠습니다.

추억이 담긴 계절

가을이 오면
당신이 떠오르죠

가을 바다는 차가운데
가을바람도 차갑네요

당신이 남긴 흔적들
파도와 함께 지워지네요

모래알 파도에 물 밀려가듯
그리움 파도에 휩쓸려 보낼게요

그리움 바다 끝 수평선에 닿을 때
그때는 당신을 지워 갈게요

나를 사랑해 주세요

수없이 남들과 비교하며
자신을 깎아내리는 것만큼
쓸모없는 것이 있을까

타인을 모방하고
지나친 동경과 욕망
무얼 위해 부러워하는가

가장 내가 좋아했던 나를
되새기고 되뇌며
다른 사람이 되려 노력하지 말고

가장 좋아했던 나를 찾으세요
진정 나를 찾으세요
진짜 나를 사랑해 주세요

빛과 어둠의 공존

빛과 어둠 대비되는 두 단어
빛이 있으면 그 반대편엔 어둠이 존재한다

빛과 어둠이 있기에
조화로이 살 수 있는 것이 아닐까

'빛' 만 있다면 매일 밝은 곳에서
자신을 숨기고 싶을 때도 드러내야 하며

어둠만 존재한다면
끝없는 어둠 속으로 빠져 어둠에 잠식되곤 한다

빛이 있기에 어둠이 있고
어둠이 있기에 빛이 있다

빛과 어둠의 공존

나를 아나요

무더운 여름날 여름이 좋다는 너를 보고
이마에 땀이 맺혀도 여름이 좋아진 나를

나를 아나요

좋아하는 노래를 듣는 너를 보고
외우기를 못하는 내가 노래 가사를 다 외운
나를

나를 아나요

시를 쓰는 사람이 멋지다길래
시를 쓰기 시작한 나를

나를 아나요
나를 아나요
나를 아나요

백야

너는 내게 백야 같은 존재
무섭고 추웠던 밤을 끝내준
백야 같은 존재

한없이 끝나지 않을 것 같던 나의 오래된 밤을
어둡지 않은 밤으로 만들어준
백야 같은 존재

너는 나에게 백야였다.

이별

나는 이별이란 단어를 싫어합니다
하긴 좋아하는 사람이 있을까
하지만 어쩌지

머리로는 알고 있다 하는데
마음은 외면하는데
마주하기 싫다는데

나는 이별이란 단어를 싫어합니다
모두가 이별이란 단어를 멀리하고
이별보단 만남이 많은 나날이었으면 하는
나의 욕심입니다

만남이 있으면 이별도 있다는 말
나는 그 말도 참 싫습니다

신이 존재한다면

짧다면 짧고 길다면 긴 이생에
만남과 이별을 함께 두었는지
행복하기만 할 순 없는지

묻고 싶습니다

나는 이별이 참 싫습니다.

소설 속 이야기

아주 어릴 적
나는 할 수 없는 것도 할 수 있다고 믿었다
영원히 죽지 않고 살아가는 영생의 삶도
나는 할 수 있을 거라 믿었다
그것은 터무니없는 소설 속 이야기란걸
알지 못하였다
나는 불멸 판타지 소설에 나오는
이야기인 걸 안 순간부터는
누군갈 미워하는 일도 누군갈 부러워하는 일도
부질없는 것이란걸 알았다
사람은 누구나 흘러가는 바람처럼 왔다
왔던 길을 다시 돌아가야 한다는 사실을
불멸, 영생은 허구 속 이야기란걸 알고 난 뒤
나의 삶은 더욱이 편하게 바뀌었다
모두 다 자연으로 돌아갈 텐데
'재력이 많은 사람'
'부러워하는 재능'을 가진 사람도
어차피 모두가 돌아갈 텐데

불완전 인간

누구나 한번은
실수를 하고

사람은 살면서
수없이 선택을 마주한다

그게 어떤 것이든
절대라는 것은 존재 하지 않는다

인간은 미완성 존재이다
완벽하지 않다

3번에 기회가 있다면
3번에 선택이 있다

신이 아니기에
완벽하지 못하기에

아무도 알 수 없기에
그 뒤가 궁금해진다

너무 완벽지 않도록 덜도 말고
더도 말고 만든 것일까

어쩌면 완벽하지 않기에
앞을 알 수 없기에 나아갈 수 있는 것일까

불완전 인간

별의 추락

별의 추락을 상상해 보신 적이 있나요
별은 하늘 가장 높이 떠 있는
행성을 둘러싸 밤하늘을 비춰주는 별

그렇게 가장 높이 있는 별들은
다른 별들보다 더 높이 더 반짝이려
무모한 상공을 합니다

그렇게 가장 높이 있는 별까지 올라가려
밤하늘을 비추며 상공한 별은
어느 순간 별의 추락, 멈춤, 낙하,

당신은 나에게 별 같은 존재입니다
나에게 가장 반짝이는 당신이
높이 올라갔으면 좋겠지만

나의 손이
더 이상 닿지 않을 것 같아 무섭습니다

순간을 비춰 주는 별이 되어
한순간 추락할까 봐 무섭습니다

반짝이는 당신도 좋지만
한순간 반짝하는 별이 아닌
잔잔히 밤하늘을 비춰주는
별이었으면 좋겠습니다.

자기소개

"저는" 칭찬을 좋아하는 사람입니다

"저는" 가끔은 하늘을 보며
멍때리는 것을 좋아합니다

"저는" 좋아해 보단
사랑한다는 말을 더 좋아합니다

"저는" 가끔은 말도 안 되는
이야기를 상상하곤 합니다.

소원

지금 누군가는 간절한 마음으로
초월적 존재에게 소원을 빕니다

살다가 한 번쯤은 간절하게
소원을 빌어본 적 있나요

가정의 평화와 사랑 그리고 안정
가족의 행복 나의 행복

간절함과 간절함이 더해지면
정말 신이 존재한다면

간절함과 간절함이 더해진
우리의 목소리를 들어주세요

이 세상을 살아가는 모든 이들에게
그리고 나의 글을 읽고 있는 모든 이들에게

간절함 바람에 엮어 저 멀리 하늘 끝까지
우리의 소리가 닿게 해주세요

우리의 말이 하나가 되어 전달되게 해주세요.

안녕

안녕이라는 말로 시작해
안녕이라는 말로 끝났다

설레기도 슬프기도 했던 그 말
한 번만 할 줄 알았던 안녕은

그렇게 두 번이 되었네

처음엔 물음표로 시작했지만
결국 우리는
마침표를 붙였구나

안녕.

꽃보라

꽃갈피

가장 기억하고 싶은
나의 추억에 꽃갈피를 놓는다
나의 이야기는 화려하지 않지만

그 속에는 어릴 적 내가 한여름 속 친구들과
아이스크림을 먹으며 소소한 담소를 나누는
추억

비가 쏟아지는 날
우산 없이 오롯이 온몸으로 비를 맞으며

집으로 돌아가면서도 웃음이 멈추지 않았던 날
한때 정말 친했던 친구와 다투었던 날
나에겐 모두 꽃처럼 피고 지는 시간이었다

나는 나의 10대에 서사에
모든 꽃갈피를 꽂아 두었다

해오름

매일 아침을 알리는 해가 차오르면
새로이 시작되는 오늘은
어제의 바람이 담긴
소망을 오늘은 이룰 수 있기를 바라며
하루를 시작하곤 한다

"누군가에겐 반갑지 않을 오늘이"
"누군가에겐 설레는 오늘이"
"누군가에겐 기다렸던 오늘이"

오늘도 어김없이 찾아왔다
어제의 바람이 이루어지지 않았다면
또다시 오늘의 나에게 바램을 담아

내일을 기대하며 그렇게 살아가다 보면
언젠간 당연히 떠오르는 해처럼 매일 같이
바라왔던 바람이 이루어지는 것도 당연하겠지

여백

가끔은
빼곡히 새겨진 이야기보다
여백이 있는

이야기가 좋다
허상으로
가득한 세상에

하나쯤은 여백이 있는
이야기도 좋지 않은가

왜 그리도 모두가
빈칸을 내버려두지 않고 채우려
애를 쓰는가

미지의 수

미지의 수란 사랑이 아닐까
이보다 미지할 수가 있을까

말로 표현할 수 없을 만큼 무한한 수
0이 될지도 무한할지도

불투명하게 가려져 표현되는 수
말로 표현할 수 없는 수

그건 바로 사랑일 것이다

단비

메마른 땅에 단비가 내리는 순간
바로 그런 순간
나는 단비 같은 존재를 찾고 있었다

네가 어디 있는지 모르는데도
언젠간 나에게 올 너를
기다렸다 하염없이

그러다 단비 같은 너를 만난 나는
상상했던 것처럼 좋았다

메말랐던 나에게 단비가 되어주었다
너는 정작 나에게 단비를 내리려
수없이도 울고 있었구나

다시 나에게 온다면 단비가 아닌
모진 비바람으로 찾아와줘

블랙홀

블랙홀 심연 깊은 곳으로 들어가면
처음과 끝을 알 수 있다고 합니다
당신의 마음속으로 들어가면

끝과 처음을
알 수 있을까요

블랙홀에 한 번 들어가는 대가로는
나의 육체는 산산이 부서져
당신을 영원히 볼 수 없겠지만

그런데도
나는 당신의
처음과 끝을 알고 싶습니다.

해피밀

나의 친구 해피밀
어렸을 땐
눈이 녹지 않을 줄 알았다

눈이 내리는 날
집 앞에 웅크려
정성껏 만든 내 친구 해피밀

비록 넌 눈이지만
그 순간만큼은 정말 좋은 친구였어
세상은 돌고 돌아 결국 만나게 된다는데

나는 겨울이 올 때마다
내리는 눈이
내가 만들었던 해피밀인지 궁금해

어쩌면 순수한
어쩌면 어리석은
어쩌면 그 시절 그리움

녹지 않는 눈사람은 없을까
나는 겨울에 눈사람을 만들면
이름을 지어줘

.

.

.

해피밀

붉은 실

나는 그런 말을
가끔 믿고 싶습니다

이 세상에 발을 내딛는 순간부터
인연이란 게 존재한다면

서로의 손가락과 손가락 사이에
붉은 실을 걸고 있다고

정말 붉은 실이 존재한다면
그 실은

끊어지지 않는 질긴 끈 이였으면 좋겠습니다
서로가 너무 멀리 가

끊어지더라고 하더라도
당신이 어디에 있든

보이지 않는 끈을 따라가
나의 붉은 실을 당신에게 걸어주겠습니다.

찬란히

너의 세상은 찬란히 빛날 것이다
내가 처음 보았던 너는
온통 무지개로 가득한 너였으니까

비가 온 뒤 무지개가 뜨는 듯
너의 세상도 비가 내리고 있다면
잠시 뒤 무지개가 뜰 것이다

너의 세상은 찬란히 빛날 것이다
너의 세상은 환한 빛으로 가득할 것이다
너의 세상은 그럴 것이다

흘러가는 시간

사진 속 우리는 움직이지 않지만
그 시절의 시간은 흐르고 있습니다
과거를 기억할 수 있는 방법은 사진

편지로 과거를 기억한다면
시간이 흘러 빛바랜 종이와
날아간 잉크 자국

과거에 꾹꾹이도 눌러 담은 누군가의 진심이
세월에 뒤섞여 알아볼 수가 없습니다

비록 멈춰 있는 사진 이지만
나의 시곗바늘은 돌아갑니다
나는 지금도 사진을 찍습니다

과거가 될 오늘을 기억하기 위해서
소소한 오늘을 간직하기 위해서

진달래 철쭉

진달래 꽃과 철쭉
진달래는 사랑과 기쁨
철쭉의 꽃말은 사랑의 즐거움

사랑하는 모든 이들아
똑같아 보여도 각자 다른 뜻을 담고 있는
진달래와 철쭉처럼

온산을 뒤덮어
사랑과 기쁨을
사랑과 즐거움을

다른 이야기를 품고 있는
어여쁜 꽃처럼
부디 너의 내음으로 온산을 물들여다오

사랑과 기쁨을 사랑과 즐거움을 그리고 행복을

세잎 클로버

모두가
네잎클로버를 찾을 때
나는 세잎 클로버를 바라본다

네잎클로버의 꽃말은 행운이다
수많은 세잎 클로버 사이에
숨어있는 행운을 찾으려

진정 우리에게 중요한
행복을 놓치고 있는 것이 아닌가
세잎 클로버의 꽃말은 행복이다

노란 꽃

무성히 피어난 꽃들 사이
노란 꽃이 피었다

무수히 피어난 꽃 사이
홀로 꺾인 노란 꽃

생명력이 솟아나는 윤회의 땅
저마다 피고 지는 계절 사이

노란 꽃은
또다시 시린 겨울을 지나

꺾였던 자리에
노란 꽃을 만개하였다

종착역

당신의 꿈은 무엇인가요
당신의 소망은 무엇인가요
당신의 목표는 무엇인가요
당신이 정말 원하는 것은 무엇인가요
당신은 미래에 어떤 모습을 꿈꾸나요
당신은 과거에 어떤 사람이었나요
부끄럼 없는 과거를 살았었나요
나태하지 않은 오늘을 살았나요

당신의 종착역은 어디인가요

윤슬

바다의 윤슬은 무한히
반짝거린다

바람에 물결치는 파도들은
제각각 다른 방향으로
서로를 밀어내 파동을 일으킨다

끊임없는 파도가 몰아치는 순간에도
바다의 푸른 윤슬은
온새미로 반짝거린다

비바람이 몰아치고 뇌우가 쳐도
바다 위 윤슬은 하염없이 반짝거린다

너는 윤슬처럼
언제나 반짝이는 사람이었으면 좋겠다

낙화

떨어지는 꽃잎은
제 할 일을 다하고
찬란히 낙화 한다

꽃봉오리를 틔우려
얼마나 많은 힘이 들었는가

우리의 삶도
꽃 한번 피워 보겠다고
각자의 생에서

바쁘게 살아간다
꽃은 피는 것이 다가 아닌

꽃이 지는 과정까지
모든 아름다움이다

우리의 인생도 찬란히 꽃을 피워
꽃보라가 휘날리는
그날을 기약한다

파란 장미

불가능할 것 같은 일이 있다면
피하지도 도망치지도 말고
앞으로 나아가세요

파란 장미의 꽃말을 아시나요?
저는 파란 장미의 꽃말을 좋아합니다

혹시 알아요?
기적 같은 일이 당장이라도 생길지

파랑 장미의 꽃말 불가능, 기적

퍼즐

우리는 완벽한 퍼즐 같은
삶을 기대하며 살아간다

퍼즐처럼 완벽히 맞춰진 그런 삶
하지만 좌절하는 순간이 올 수도 있다

퍼즐을 맞추며
마지막 한조각을 남기고
퍼즐 하나를 잃어버렸을 때

그 한조각 찾지 못하면
여태 해온 수많은 퍼즐이 한조각 때문에
물거품이 되어버린 것만 같은 느낌

하지만 시간이 지나
퍼즐을 잊고 살다 보면
어디선가 잃어버렸던 퍼즐 한조각을

발견하게 된다

생각해 보면 우리가 잃어버렸던 퍼즐은
그리 중요하지 않았다

완벽하지 않아도 우리는 잘살고 있었다
잊고 살다 보면 뜻 밖에 어디선가 찾고 있던
해답이 마법처럼 나타날 수도 있고

행여 퍼즐 조각을 찾지 못하여도
우리의 삶은 또 다른 퍼즐을 맞추면 된다.

도전과 용기

도전과 용기는
함께 해야 하는 것이라 생각합니다
용기가 없으면 도전을 할 수 없고
도전하려면 용기가 필요하기 때문입니다
그리고 도전이 실패가 되더라도
실패를 부정적으로 보는 게 아닌
나를 더욱더 단단하게
성장시키는 경험이라고 생각합니다
할 수 있다는 마음과 노력
그리고 끈기가 있다면
뭐든지 이룰 수 있다고 생각합니다.

작가의 말

늦었다고 생각할 때가
가장 **빠르다**는 말을
저는 믿지 않았습니다

이 글을 읽고 있는 당신은
무언갈 시작하고 싶지만

너무 늦은 것 같아 고민 중이거나
알 수 없는 미래에 불안감이 몰려와
시작을 두려워하고 계시나요

저도 그렇게 생각했습니다
하지만 글을 쓰면서 깨달은 점이 있습니다

늦었다고 생각할 때가 무언갈 하고 싶은 게 생긴
시작점이며 **빠름**과 느림은 중요하지 않았단 것을

미래에 불안은 인간이라면 느끼는 것 이며
미래를 알 수 없기 때문에
정해져 있지 않기 때문에

우리의 미래를 더욱더 알고 싶다는 것을
불안감을 궁금으로 바꾸어

일단 해보는 겁니다
아무 생각 없이 그냥 해보는 겁니다

아무도 알 수 없는 당신의 이야기는
인생의 주인공인 내가 결말을 만드는 것입니다

느림과 빠름 불안은 중요하지 않습니다
당신은 뭐든지 할 수 있는 사람입니다.

글을 마치며

사람은 과거에 대한 후회
미래에 대한 불안을
누구나 마음속에 가지고 살아갑니다

이러한 감정들은 우리를 때론
아프게 만들지만 비 온 뒤 땅이 굳듯
때론 우리를 더욱 단단히 만들어 주기도 합니다

온 세상이 나를 미워하는 것 같은 날도 있습니다
비 온 뒤 무지개가 뜨는 것처럼
모두가 무지개를 보았으면 합니다.

생각이 많아지는 날
소중한 여러분의 마음에
잠시나마 비를 피할 수 있는
안식처가 되었기를 바랍니다_

낙화

희안 지음